Primera edición: diciembre 2008
Quinta edición: agosto 2010

Dirección editorial: Elsa Aguiar
Coordinación editorial: Berta Márquez

© del texto: María Menéndez-Ponte, 2009
© de las ilustraciones: Javier Andrada, 2009
© Ediciones SM, 2009
Impresores, 2
Urbanización Prado del Espino
28660 Boadilla del Monte (Madrid)
www.grupo-sm.com

ATENCIÓN AL CLIENTE
Tel.: 902 121 323
Fax: 902 241 222
e-mail: clientes@grupo-sm.com

ISBN: 978-84-675-3396-5
Depósito legal: M-32442-2010
Impreso en España / *Printed in Spain*
Impresión Digital Da Vinci, SA - Pintores, 21- Alcorcón (Madrid)

EL BARCO DE VAPOR

Pupi y el club de los dinosaurios

María Menéndez-Ponte

Ilustraciones de Javier Andrada

Nachete ha decidido fundar
«el club de los dinosaurios»
y ha hecho una chapa para cada socio
con un dinosaurio distinto.
Son tan bonitas que todos los amigos
están deseando formar parte de él.
Pero él les ha dicho que,
para ser admitidos,
tienen que realizar
una hazaña importante.

Rosy ha hecho unos dinosaurios
con recortes de fieltro de colores
que le sobraron a su madre,
y, con su ayuda, los ha cosido
a unas camisetas viejas.

Son los mismos de las chapas
y servirán de uniforme
para los integrantes del club.
Así es como se ha convertido
en el segundo miembro del club.

El siguiente ha sido Coque,
que ha aportado una colección
de dinosaurios de plástico,
un álbum con todos los cromos
y unos pósteres preciosos.

Se los ha comprado su abuela,
porque es un mimadito
y siempre le compran
todo lo que pide.
Blanca ha dicho que eso
no tenía ningún mérito,
pero Nachete lo ha admitido
para que Coque no arme
una de sus pataletas.

Pupi no hace más que pensar
en la hazaña que podría llevar a cabo.
Pero, por más que le da vueltas,
no se le ocurre nada.

Y así llega la noche,
sin que haya discurrido ninguna proeza
que le permita formar parte del club.
Su botón está gris de pura tristeza.
Si no piensa algo,
Nachete no le podrá reservar el triceratops,
que es el que más le gusta.

–¡Achúndala, neniño!
¿Por qué estás tan triste?
–le pregunta Conchi al ver su botón–.
¿Quieres ayudarme
a cortar las patatas para la cena?

A Pupi le gusta mucho
ayudar a Conchi a cocinar,
así que se pone manos a la obra
sin dejar de pensar en la hazaña.

13

Nada más empezar,
ya se le ha ocurrido una gran idea.
Una superidea.
La mejor idea del mundo.
¡Va a hacer patatas de dinosaurios
para llevar al cole!
Nachete se pondrá muy contento.
   Pero no se lo dice a Conchi,
porque es algo que tiene que hacer él solo,
no como Coque, que es un mimadito.

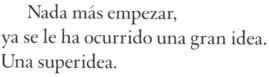

Pupi espera impaciente
a que Conchi recoja la cocina
después de cenar
y se siente a ver la tele.

16

Entonces, va a la cocina
y toma seis patatas,
una para cada dinosaurio.
Enseguida se da cuenta
de que no es nada fácil cortar patatas
con su cuchillo de juguete.

Conseguir que el triceratops tenga cuernos
es una labor titánica.
De momento, parece la corona de un rey.
Tampoco resulta fácil el tiranosaurio rex,
el favorito de Nachete.
El que mejor le sale es el brontosaurio,
porque ha encontrado una patata
que se le parece bastante
y solo necesita un par de retoques.

Pero Pupi no pierde el entusiasmo.
Y después de trabajar duramente,
consigue hacer unos dinosaurios muy chulos;
al menos, eso piensa él.

 –¡Y ahora, a la sartén!
–dice satisfecho.

Entonces comienzan los problemas.
¿Qué líquido echa Conchi en la sartén
para freír las patatas?

Pupi examina las distintas botellas
hasta que se decide por la del refreso de cola,
porque tiene burbujitas y él ha visto
que salen un montón cuando Conchi las fríe.

Pupi vierte el refresco en la sartén,
muy ilusionado.
Pero las burbujas
apenas permanecen unos segundos
y enseguida desaparecen,
así que las patatas siguen tan crudas
como al principio.

   –¡Qué patatas más malas!
–exclama Pupi desesperado–.
¿Por qué no os freís?

Pupi prueba con el aceite
y con el vinagre,
pero las patatas se mantienen intactas,
flotando en aquel líquido viscoso.
¿Cómo es que a Conchi se le fríen y a él no?
Pupi está muy enfadado con ellas,
su botón está rojo.
Quizá tenga que ponerse serio
con las patatas,
como hace la profe
cuando Coque se porta mal.

Pupi se sube a la banqueta
con actitud amenazadora.
Su botón, cada vez más rojo,
está que arde.

    −¡Como no os friáis,
tendré que castigaros!

    Entonces, dos de las patatas
empiezan a saltar
haciendo plop, plop, plop,
igual que las de Conchi,
y las demás les siguen tímidamente.
¡Por fin le han obedecido!

Lo malo es que salpican una barbaridad.
Pupi se separa de la sartén, asustado.
Pero, nada más hacerlo,
las patatas vuelven a flotar perezosamente
en aquel líquido de color marrón.
 –¡Qué patatas más malas,
sois unas desobedientes y unas vagas!
–las regaña muy enfadado.

Pupi no comprende por qué,
cuando él se acerca,
se ponen a hacer plop, plop, plop,
y en cuanto se separa,
vuelven a hacer la plancha.

Después de repetir la misma operación
un montón de veces
y estar al borde de la desesperación,
por fin se da cuenta
de que su botón rojo
es el que calienta el aceite
para que se frían
las patatas.

Pero ¡qué manera de freírse!
No paran de lanzarle escupitajos,
y encima son mil veces peores
que los que lanza Coque
cuando se agarra una de sus rabietas.

–¡Jopeta, dejad ya de escupir!
–protesta tapándose la cara con las manos.
    Aunque está dispuesto a todo
con tal de pertenecer
al «club de los dinosaurios».

Y, de pronto,
una de las patatas le salta a la cabeza
tirándolo de la banqueta.

Pupi cree que es su venganza
por haberles gritado
y está dispuesto a pedirle perdón.

Pero antes de que pueda levantarse,
ya le ha caído otra
encima de la barriga.

Es un ataque feroz.
Ahora su botón está morado,
de tan asustado que está.
Y sus antenas comienzan a girar
como el molinillo de café
provocando el caos total.

Las patatas dan saltos mortales
sin ton ni son,
cayendo en picado dentro de la sartén
y salpicando toda la cocina;
mientras, Pupi patina de un lado a otro
dándose terribles culadas.

«Esas patatas son más fieras
que los leones», piensa desesperado.

Y al ver que están fuera de control,
empieza a gritar:

–*¡Coscorro! ¡Coscorro!*

Por suerte, Conchi llega enseguida.

–¡Achúndala, Pupi!

Pe… pe… pero… ¿qué has hecho?

–Las patatas, me han *tacado*
todo mi *puerco*, ¡pum, pam, pum!
Son muy malas. Tienes que castigarlas.

Conchi se da cuenta
de que el botón de Pupi está morado.
–Tranquilo, neniño,
no te pongas nervioso
–dice abrazándolo.
Al sentirse protegido,
sus antenas dejan de girar
y la cocina recupera la calma.

Pupi le explica a Conchi lo sucedido.

–Nunca debes intentar cocinar tú solo.
Yo te ayudo siempre que quieras.

–Es que eso no vale.
Nachete ha dicho
que tenía hacerlo yo solo.

–Pues entonces, déjalas así.
¿Para qué las vas a freír?
Son unas figuras preciosas.

A Pupi le ha convencido la idea de Conchi,
de modo que, entre los dos, las limpian bien
y recogen toda la cocina.

Luego, Pupi se va a la cama feliz.
Y sueña con una gran aventura
con sus dinosaurios.
En su sueño son fabulosos,
tan reales que dan miedo.

Pero al día siguiente,
al verlos de nuevo,
se queda totalmente desilusionado:
ya no le parecen ni la mitad de bonitos.
En realidad, ni siquiera parecen dinosaurios.
Pupi está muy preocupado,
porque piensa que Nachete
no lo va admitir en su club
y mucho menos le va a dar
la chapa del triceratops.

Encima, cuando llega al parque
y ve los dinosaurios tan chulos
que han hecho Bego y Blanca,
su preocupación es todavía mayor.
Bego ha hecho los suyos con plastilina
y Blanca los ha hecho de barro.

Pupi los contempla extasiado:
son realmente fabulosos.
También ellas ya son miembros del club.

Aunque Coque
ya es miembro del club,
le da mucha rabia
ver los dinosaurios tan bonitos
que han hecho las gemelas,
pero, como no se atreve a decir nada,
la toma con Pupi.

–¿Y tú qué has hecho?
–le suelta con chulería.

Pupi, muy nervioso,
saca las patatas de su mochila.

–He hecho dinosaurios con patatas.

Coque se empieza a reír a carcajadas.

–Querrás decir que has hecho
una patata de dinosaurios. Ja, ja, ja…
¿No pretenderás entrar en el club
con semejante birria?
¡Menuda patata!

–¡Pues anda que tú,
que te los han tenido que comprar!
–salta Blanca en su defensa.

46

–¡Y qué!
Yo ya estoy dentro del club
y Nachete me va a dar
la insignia del triceratops.
    Nada más oírlo,
el botón de Pupi se ha puesto tan gris
como los nubarrones del cielo.
Eso ha sido el colmo.

No solo ha fracasado en la prueba,
sino que se ha quedado
sin su dinosaurio favorito.

Inconscientemente, sus antenas
se convierten en molinillos de viento.

Y de repente…

El triceratops-patata
empieza a crecer y a engordar.
En pocos segundos,
adquiere un tamaño descomunal.
   Los niños lo observan asustados.
Pero cuando están a punto
de echar a correr,
el velocirraptor les corta el paso
y tienen que dar media vuelta.

Entonces, el tiranosaurio rex
los acorrala por el otro lado.
No tienen escapatoria.
    –¡Cataclás, cataclás!
–grita Pupi desesperado.

Y de pronto, como por arte de magia,
los dinosaurios bajan la cabeza avergonzados
y se repliegan.

Nachete, al ver que no son peligrosos,
les suplica que no se vayan.

53

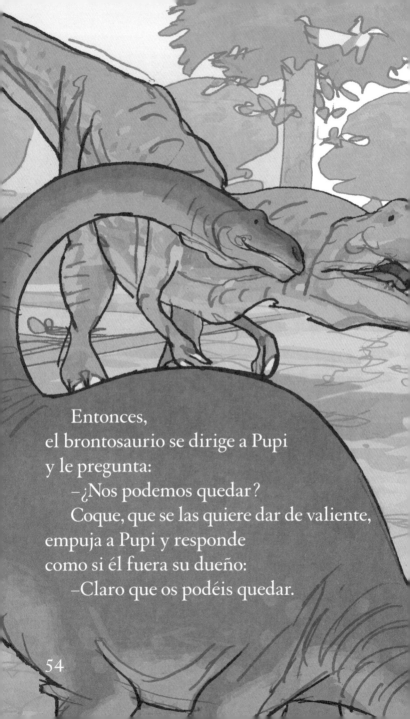

Entonces,
el brontosaurio se dirige a Pupi
y le pregunta:

–¿Nos podemos quedar?

Coque, que se las quiere dar de valiente,
empuja a Pupi y responde
como si él fuera su dueño:

–Claro que os podéis quedar.

Pero el brontosaurio,
apartándolo de un formidable coletazo,
replica:
   –Nuestro dueño es Pupi
y es él quien decide,
porque para eso nos ha hecho.

–Nachete, si se quedan,
¿puedo pertenecer al club?

–Pues claro, tus dinosaurios
son los mejores del mundo.

–Pero es porque ha hecho magia
con las antenas –protesta Coque,
que no soporta que nadie le gane.

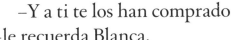

–Y a ti te los han comprado
–le recuerda Blanca.
  Coque se calla,
pero es únicamente
por miedo al brontosaurio,
que lo está mirando
con cara de poco amigos.

–¿Y puedo elegir al triceratops? –quiere saber Pupi.

–¡Ni hablar, ese me lo he pedido yo! –salta Coque.

Pero entonces, el triceratops se abalanza sobre él.

Y de no ser por Pupi,
que lo frena con una orden,
le habría clavado
sus cuernos en el culete.

Ahora, Coque ya no quiere
el triceratops,
prefiere el brontosaurio;
al menos, no tiene cuernos.

Pupi y sus amigos
pasan la tarde en el parque
viviendo una fabulosa aventura
que nunca podrán olvidar.

Y, por una vez,
hasta Coque está de acuerdo
en que los de Pupi
son los mejores dinosaurios de todos.

TE CUENTO QUE A MARÍA MENÉNDEZ-PONTE...

... de pequeña, siempre se le estaban ocurriendo «grandes ideas» que acababan en desastres, igual que a Pupi. Se pasaba el día inventando circos, bailes, aventuras, concursos, funciones de teatro... También le gustaba mucho hacer cabañas y fundar clubes. Como «el club de los árboles», que consistía en elegir cada niño un árbol del jardín donde estar a salvo de los demás, y luego había otro común para reunirse. Para María, escribir las historias de Pupi es recordar todas esas aventuras de la infancia, y se lo pasa genial.

Pero también le encanta coger fruta de los árboles, así como caminar por la calle comiendo castañas en invierno y helados en verano.

¿QUIERES CONOCER A UN PERSONAJE CASI TAN PROTESTÓN COMO COQUE? PUES NO DEJES DE LEER **¡TÚ ME PROMETISTE!** Mostacholes se ha enfadado con su mamá y quiere buscar una nueva. Lo malo es que ninguna es como a él le gustaría.

¡TÚ ME PROMETISTE!
Gabriela Keselman
EL BARCO DE VAPOR, SERIE BLANCA, N.º 118

EN OCASIONES, ALGUNOS SERES QUE PARECEN INOFENSIVOS COBRAN VIDA Y NOS DAN UN SUSTO, COMO PASA EN **LAS RANAS DE RITA**. Rita no puede dormir y su madre le propone que cuente ovejas. Pero tampoco funciona, y la niña decide probar con las ranas. De pronto, entre las ovejas y las ranas, se arma una batalla campal.

LAS RANAS DE RITA
Eduard Márquez
EL BARCO DE VAPOR, SERIE BLANCA, N.º 107